Orimont Bolacre

J'y crois pas !

*Une réponse à Stéphane Hessel
à la demande de Renaud Camus*

DAVID REINHARC
& Parti de l'In-nocence

31 ans. Ce pourrait bien être le tout petit tiers d'une vie. 31 ans, c'est vraiment de peu de poids, à l'heure où l'on prévoit des milliers de centenaires pour les décennies à venir. C'est à peine une sortie d'adolescence et même, pourquoi pas, l'âge d'un vrai gamin, mon âge. Après coup, je me suis d'ailleurs demandé si ce n'est pas un peu pour un gamin qu'on m'a pris en me mettant dans les mains *Indignez-vous !*, le « phénomène éditorial » du moment. Et je ne dois pas être le seul, parmi les centaines de milliers d'anonymes qui ont suivi le mouvement.

Quand on est né au début des années quatre-vingt, on se sent d'emblée tout petit, on est saisi, comme immédiatement tenu en respect par les premiers mots du fascicule : « 93 ans ». Termes qui se trouvent être, aussi, les derniers mots du livre, comme si le lecteur était pris en tenailles par l'âge de l'auteur. Le tout en plein triomphe du « jeunisme », comme on écrit dans les magazines de société. On se dit qu'on aura 93 ans en 2073 et ça laisse bizarrement rêveur. Un effet de sidération.

Comment douter, dans ces conditions, de celui qui s'adresse à nous : c'est un grand ancêtre et pas n'importe lequel. Un des derniers rescapés d'une épopée héroïque : la Résistance pendant la Seconde Guerre mondiale. Quelqu'un que l'on n'a pas envie d'appeler « papy ». C'est un « der des der » qui nous parle. Sa parole sonne comme un dernier mot et quand il écrit : « Nous, vétérans des mouvements de résistance et des forces combattantes de la France libre, nous appelons les jeunes générations à faire, vivre, transmettre, l'héritage de la résistance et ses idéaux », c'est un « nous » légèrement abusif. Aucun « collectif de vétérans de la Résistance » ne viendra contre-signer ou contester son appel. Et pour cause : presque plus personne n'est là, de cette génération.

Je tiens à préciser que si j'ai l'air d'insister lourdement sur cette question de l'âge, ce n'est que par imitation de l'auteur (et des commentateurs, qui ne manquent jamais de rappeler cette circonstance). Je ne veux pas sous-entendre qu'il serait impossible d'avoir une opinion et de chercher à la rendre publique à un âge avancé. Loin de là ! Je trouve simplement que cette insistance à mettre son âge en avant fait naître un soupçon désagréable, comme si on cherchait d'emblée à en imposer autrement que par ses seules idées. Les idées n'ont pas d'âge et le temps ne fait rien à l'affaire.

Mais, bien sûr, ce n'est pas n'importe quel temps. Personne ne peut l'évacuer d'un revers de la main, comme un détail sans importance. Avoir 93 ans en 2011 implique à coup sûr d'avoir été témoin, acteur ou victime des épisodes les plus terribles de l'histoire du XXᵉ siècle. C'est le cas de l'auteur, et c'est tout à son honneur d'avoir su, en son temps, prendre parti, au risque de la torture, de l'exécution sommaire, de la déportation. On sait très bien que tout le monde n'a pas résisté pendant l'Occupation parce que cela nécessitait un très grand courage. Rien ne pourrait faire oublier cela.

Inversement, avoir 31 ans en 2011 signifie, de ce côté-ci du monde et pour l'écrasante majorité des lecteurs d'*Indignez-vous !*, que l'histoire a été suivie devant sa télévision, que personne ne s'est jamais vraiment trouvé en situation de s'engager au point de mettre sa vie en jeu. Ni d'être en position d'accepter ou de refuser un poste de dignitaire, tel que celui d'ambassadeur d'une grande démocratie. Et, de nouveau, on se sent tout petit, écrasé par la parole d'un homme qui, à l'âge qui est le nôtre aujourd'hui et pendant que nous peaufinons nos profils sur Facebook, avait, lui, pour « réseau social » et habituels compagnons en chair et en os, les rédacteurs de la Déclaration universelle des droits de l'Homme, des gens qui s'étaient battus et qui venaient de triompher du nazisme ! Des gens qu'aujourd'hui, fatalement, on n'a plus souvent l'occasion d'entendre dans le débat public, encore moins d'y voir jouer le moindre rôle actif.

Alors bien sûr, ce serait faire preuve d'une incroyable indifférence, ne pas saisir l'occasion de prendre connaissance de la parole d'un tel homme, de ne pas joindre à d'autres achats de livres cette brochure qui s'offre pour ainsi dire bénévolement et porte un titre qui nous parle directement : *Indignez-vous !*

S'indigner ? Sous la conduite d'un ancien Résistant ? Et comment ! L'indignation n'est pas un sentiment inconnu à la population et c'est peut-être bien pour cela, en dehors même de la personnalité de l'auteur, que tant de lecteurs n'ont pas résisté à l'envie de découvrir cette brochure. Parce que l'indignation leur est, justement, très familière.

Reste à savoir s'ils y ont retrouvé leurs petits, dans cette indignation facilement mise à portée de main et de bourse, tout comme, il y a quelques années, la petite nouvelle de fiction *Matin brun*, apparue dans les mêmes conditions spectaculaires et « phénoménales ». A l'heure de la presse gratuite, on a l'impression que s'invente une nouvelle catégorie de livres qui pourrait s'appeler « tract payant » (avec *Indignez-vous !*, sauf le respect dû à l'auteur, c'est même le tract « 93 ans d'âge » qui est proposé, comme sur l'étiquette des vieux scotchs : l'âge en garantie de qualité). Tract payant, oui, puisque l'objectif de ces deux fascicules est de délivrer un message, une mise en garde, un impératif.

J'ai donc versé mes trois euros à la défense d'une cause, j'allais dire « comme tout le monde », ou pour qu'il ne soit pas dit que je passe à côté d'un « phénomène » rappelé par tous les médias. J'ai acheté le petit livre et, pas plus qu'à l'époque de *Matin brun*, je ne me suis beaucoup interrogé sur les conditions exactes, concrètes, de l'apparition de ces fascicules. C'est comme ça. Des petites maisons d'édition jusqu'ici inconnues du grand public, aux tirages confidentiels, propulsent en un clin d'œil un de leurs livres à la meilleure place, à côté de la caisse, et parviennent à subvenir à la demande par centaines de milliers d'exemplaires sans la moindre rupture de stocks (la librairie d'une grande ville confie ainsi vendre 300 à 400 exemplaires par jour d'*Indignez-vous !*). C'est comme ça, un point c'est tout. Il ne faudrait pas jouer les trouble-fête en rappelant les conditions matérielles, l'organisation et le très solide *background* indispensables à l'éclosion du « phénomène ».

En attendant, j'avais de quoi meubler l'heure de bus qui m'attendait pour rentrer chez moi.

À vrai dire, c'était faire preuve d'un certain optimisme : la lecture d'*Indignez-vous !* ne permet pas de faire passer une heure de transport en commun. Tout au plus une demi-heure, en tenant compte d'un environnement assez peu favorable à la lecture. Et puis, j'étais fatigué par ma journée passée à courir d'un bureau à l'autre. Le livret refermé, je me suis laissé envahir par une somnolence pleine d'images vagues et de pensées décousues, sur fond de messages publicitaires et de chansons de variétés que diffusait dans le bus une station de radio. Sur fond d'autre chose, aussi, qui m'est revenu plus tard.

En retrouvant le calme de mon deux-pièces suburbain, j'ai d'ailleurs mis sur le compte de ce petit voyage routinier et pénible le peu qui me restait de ma lecture. Si quelqu'un, juste à ce moment, m'avait demandé ce que contenait de spécial *Indignez-vous !*, qu'est-ce que j'aurais répondu, au juste ? « De spécial », je n'avais rien retenu. Étrange sensation de *déjà-lu*, quelque part, ici ou là, un peu partout : le déclin des acquis sociaux, le triomphe des riches, de la société de consommation, la persécution des « sans-papiers », la défense des Palestiniens. Envie de soupirer : « Ah bon ? c'était ça ? » Il me restait le sentiment d'un livre à la fois très court et pourtant avec des longueurs, une composition assez confuse, qui passait de l'actualité française la plus récente à la politique internationale, mélangeait les anecdotes personnelles et les considérations abstraites. J'avais l'impression d'avoir lu en diagonale. Je ressentais par-dessus tout un très grand décalage entre ce que promettait le titre et ce que j'avais trouvé à l'intérieur, un peu comme avec une publicité mensongère. À cela, il ne pouvait y avoir qu'une explication : j'avais lu dans de mauvaises conditions. Il fallait recommencer.

J'ai pris une douche, j'ai mangé un bout et rouvert le livret, confortablement installé sur mon canapé convertible. À tête reposée, j'allais comprendre.

Je me suis mis à lire attentivement, avec concentration. Je m'étais fixé un but tout simple : comparer ma propre indignation, au fur et à mesure, avec celle de l'auteur, malgré tout ce qui me séparait de lui et que j'ai déjà noté : l'âge, la participation très active à une page d'histoire héroïque, la notoriété publique. Moi, j'étais relativement jeune, je n'avais rien fait, j'étais un parfait anonyme qui venait de passer sa journée à faire la queue dans des bureaux. Mais ma position n'avait pas que des désavantages. Ce que je perdais en « hauteur de vue », je le gagnais « sur le terrain ».

Car justement, les premières pages d'*Indignez-vous !* évoquaient la création de la Sécurité sociale. Or, c'était le premier organisme que j'avais mis dans mon planning. J'avais réussi le tour de force de caser dans l'emploi du temps de ma journée toute une série de démarches administratives qui découlaient de la fin récente d'un C.D.D. de huit mois comme vendeur dans une grande librairie, une « enseigne ». À la « Sécu », je devais faire imprimer une attestation, à la C.A.F. signaler mon changement de situation, enfin au Pôle emploi je ferais connaissance avec le « référent » qui m'aiderait à chercher un nouveau travail.

Maintenant que j'étais au calme, les premières pages d'*Indignez-vous !* faisaient revivre en moi cette journée, et cette entrée en matière aurait eu de quoi me parler. Malheureusement, avant même de raconter comment avait pris naissance l'idée généreuse d'une politique sociale pour l'après-guerre, l'auteur tenait à protester contre « cette société des sans-papiers, des expulsions, des soup-çons à l'égard des immigrés ». Voilà ce qu'il estimait urgent d'affirmer avant tout. Mais rien de ce que j'avais vu dans la journée ne me permettait d'acquiescer à cette indignation.

Si j'étais indigné, c'était d'entendre pour la énième fois ce genre de clichés parfaitement injustes. Il est vrai que ceux qui les propagent sans se lasser n'ont que rarement l'occasion de faire la queue dans des bureaux. S'ils la faisaient, ils constateraient peut-être que la compo-sition humaine de ces files d'attente ne correspond pas du tout à une société égoïste à l'égard des nouveaux venus. Bien au contraire ! Ils verraient une société qui tente comme elle peut de conserver, précisément, les idéaux de 1948. Qu'elle n'y parvienne pas au mieux, que l'édifice des lois sociales se lézarde dangereusement sous diverses pressions, c'est vrai. Mais il est indigne de dire que cette société n'a pas à cœur de tenir ses anciens engagements alors que la situation du pays n'a plus rien de comparable avec celle de 1948.

Je commençais à trouver d'assez mauvaise foi d'en appeler aux idéaux de 1948 sans aucune nuance, sans tenir compte du simple fait que les lois de 1948, dans l'esprit de leurs créateurs, avaient été imaginées pour soutenir une population nationale exsangue et en aucun cas pour être mises à la disposition des habitants pauvres de toute la terre réduits à chercher ailleurs ce que leurs dirigeants refusent, eux, de leur offrir : travail et protection sociale. Et pourtant, sans mesquinerie, c'est bien ce qui s'est passé et que n'avaient pas du tout prévu les rédacteurs du C.N.R.

Dans les quelques extraits de leurs travaux cités dans *Indignez-vous !*, on parle clairement de « citoyens ». Ce que n'avaient pas non plus prévu ces hommes généreux et courageux (et comment l'auraient-ils pu ?), c'est qu'un jour viendrait où, en France, il y aurait une quantité croissante de « citoyens de papiers » et seulement de papiers. Ni de cœur, ni d'esprit, ni de culture française et même, trop souvent, détestant cette culture, ne perdant jamais une occasion de la rejeter ou d'y être totalement indifférents, de brandir les drapeaux de leur pays d'origine, d'affirmer haut et fort un enviable patriotisme, comme on l'a vu à l'occasion de la récente Coupe du monde de football. Comme si les descendants de quatrième génération d'immigrés espagnols ou italiens se déchaînaient en foule dans les rues à chaque victoire d'une équipe de « là-bas ». Cette occasion de s'indigner ne figure pas dans le livret qu'on s'arrache.

De la même façon, les lois en faveur de la natalité avaient un sens en 1948, une valeur morale et pratique à l'usage des citoyens français, récents ou plus anciens, mais tous entièrement décidés à adopter et à aimer les mœurs de leur pays. Cette valeur morale, la société française n'y a pas renoncé, quoi qu'on dise, quand bien même, désormais, ces lois attirent naturellement sur son sol les ressortissants de pays où elles ne sont pas même à l'état de vague projet. Tant mieux pour ces ressortissants, qui ne sont pas idiots et ont accès à l'information moderne. Ce n'est pas leur présence qui m'indigne, à leur place j'en ferais tout autant (en m'abstenant toutefois de cracher dans la soupe). Mais il est indigne de prétendre qu'ils sont mal reçus, mal aidés, surtout si on compare leur sort à ceux de migrants plus anciens, et j'en parle en connaissance de cause. Ni C.M.U., ni A.M.E., ni R.S.A., ni rien de tout l'attirail associatif n'attendait dans les années vingt mes arrière-grands-parents à leur arrivée en France. Ont-ils pour autant appris à leurs enfants à brandir hystériquement le drapeau du pays qu'ils avaient quitté et où ils n'ont jamais plus remis les pieds ?

Il faut être aveuglé par le confort ou l'idéologie pour ne pas supposer que l'effet combiné du nombre de nouveaux venus et des dispositions sociales – qui vont bien au-delà des projets du C.N.R. – n'est pas un peu pour quelque chose dans l'effondrement du système social.

Oh ! je sais bien qu'en écrivant cela une réplique toute faite me pend au nez : l'accusation de désigner un « bouc émissaire » aux difficultés des « régimes sociaux ». Je ne vais pas si loin. Je me contente d'un modeste appel au bon sens ; quand la France comptera 90 millions d'habitants, on verra si les belles âmes seront toujours là pour s'indigner du soi-disant mauvais sort fait aux immigrés ou si elles auront depuis longtemps cherché un pays moins « ouvert », pour elles et leurs enfants, un pays de préférence sans trop de clandestins.

Sous quelles latitudes existe-t-il une nation qui s'efforce de recevoir mieux les étrangers que la France ? Qui met à leur disposition, dans le cadre de la loi, toute une panoplie d'aides matérielles financées par tous ? Et d'où vient que, par une tournure d'esprit incompréhensible, certains de ses habitants historiques, ceux qui ont la parole, tiennent sans cesse à rappeler son inguérissable xénophobie, son racisme latent, son manque d'ouverture à l'autre, son passé honteux ? J'y crois pas ! Quand on a à faire à de tels bourreaux, cela donne envie d'être victimes ! Pire encore, d'où vient que les mêmes beaux parleurs s'ingénient à convaincre les nouveaux venus de toutes ces tares, à les entretenir dans l'idée que la France leur fait du tort, quoi qu'elle puisse faire ? Et en effet, après ces belles leçons, comment s'étonner que trop de ces nouveaux venus, et avec eux leurs descendants, n'hésitent pas à donner libre cours à leur « haine » des « céfrans », à cultiver leur mépris sans la moindre gêne, à chercher à imposer leurs mœurs puisqu'on leur a expliqué en long, en large et en travers que ceux qui les reçoivent sont racistes, méchants et privilégiés ? Or, ils ne sont rien de tout cela dans leur écrasante majorité. Ils ne sont pas au Paradis et les autres en Enfer et si, dans nos sociétés, il existe encore des malheureux, il est indigne et imbécile d'insinuer que ce sont en priorité les immigrés d'avant-hier et leurs descendants d'aujourd'hui.

« C'est tout le socle des conquêtes sociales de la Résistance qui est aujourd'hui remis en cause », indiquait la brochure que j'étais en train de lire avec attention. C'est bien possible. N'importe qui tombera d'accord avec l'auteur quand il s'en prend au « pouvoir de l'argent ». Mais, pas plus que l'immigration ne peut servir de seul et unique « bouc émissaire », le « pouvoir de l'argent » ne peut tout expliquer. Il me paraîtrait plus digne de chercher à régler ces deux questions très complexes, *et très étroitement liées*, plutôt qu'en appeler commodément aux bons sentiments d'un autre âge, d'une autre situation mondiale, d'une autre époque.

J'allais de l'avant et découvrais que, selon l'auteur, des « nantis » possèderaient tous les médias et, du coup, empêcheraient une vraie liberté d'expression en France, c'est-à-dire, si je comprends bien, mettraient les bâtons dans les roues aux idées défendues par *Indignez-vous !* en tête des ventes.

Alors là, encore une fois, j'y crois pas ! On peut dire que c'est la meilleure ! J'écoute beaucoup la radio, regarde un peu la télé, surtout des stations publiques (mais dans le privé, c'est pareil) et parcours la presse. Il ne se passe pas un seul jour ni même une seule heure sans une occasion de tomber sur une leçon de morale en faveur du multiculturalisme, du métissage, pas une semaine sans apologie de la « différence », sans rappel des crimes occidentaux, sans excuse tirée par les cheveux pour « comprendre » la violence, du moment qu'elle est le fait d'une « minorité ». Ce ne sont pas vingt petites pages que l'on remplirait si l'on voulait dresser la liste complète des émissions qui, sur une seule année, déclinent ces thèmes, c'est un bon gros volume.

La presse et les médias sont aux mains des « nantis » ? Mais alors, s'ils n'aiment pas les idées en vogue, je me demande bien de quel pouvoir ils sont nantis et ce qu'ils cherchent à imposer, à l'heure où le moindre chroniqueur marche sur des œufs et doit s'attendre, en cas de

« dérapage », à rendre immédiatement des comptes à la justice.

Car il s'est passé une chose extraordinaire. Ceux qui ont vaillamment lutté pour la liberté d'expression et qui l'ont obtenue sont désormais ceux qui n'hésitent pas à se dresser comme un seul homme sitôt que s'exprime la moindre idée qui ne convient pas à leur conformisme. Je n'ai pas les moyens de savoir à qui appartiennent la presse et les médias, si c'est aux « nantis » ou à Pierre, Paul, Jacques, mais jamais la parole officielle n'a été aussi hégémonique. Elle est partout. Et ce qui m'indigne, c'est ce qu'elle a fait subir au vocabulaire.

Sans parler du jargon psychologique, économique, technique, combien de mots ordinaires ont été trans-formés en noms de code que les gens traduisent machinalement ? Ils traduisent quand ils entendent ou lisent que « des jeunes » ont fait ceci ou cela, ils traduisent quand ils entendent ou lisent « quartier sensible », ils traduisent quand ils entendent ou lisent « diversité », « populaire », « incivilité » et tant d'autres termes, tant de tournures bizarres péniblement bricolées pour ne pas appeler un chat un chat. Tout un peuple passé traducteur officieux de la langue officielle !

Si, par exemple, pour évoquer mon trajet en bus, je dis que ce qui a rendu ma lecture difficile, en plus de la radio, c'est la présence dominatrice et incontrôlable d'une quantité de « jeunes » dont personne n'osait heurter la « sensibilité » en leur disant de se calmer, d'éteindre leurs portables d'où sortaient les litanies haineuses de leur « musique », n'importe qui aura traduit et très bien compris de quoi je parle. N'importe qui, toutes tendances politiques confondues.

Chacun aura compris que l'indignation habitait le cœur des passagers paisibles mais qu'ils étaient résignés à cette indignation. Ils la ravalaient comme tous les jours sur cette ligne de bus. Certains ruminaient une vengeance dans les urnes. On verrait ce qu'on verrait ! Mais ça ne leur plaisait guère, de faire voir *ça*. D'autres tentaient d'étouffer leur indignation en essayant de se convaincre que rien n'avait changé, qu'ils avaient seulement un peu vieilli, oublié que les jeunes seront toujours les jeunes, un peu turbulents, et que ceux-là étaient surtout « mal dans leur peau » et que ça leur passerait, allez, qu'avec le temps et beaucoup de pédagogie, tout allait s'arranger. D'autres enfin attendaient patiemment, pour penser à autre chose, la solution provisoire du « problème » : l'arrêt de bus connu de tous où les « jeunes » descendraient. Ouf ! on verrait bien demain. Mais si personne ne bronchait, en dehors même de la crainte de subir des violences, c'est que personne ne savait plus quels mots simples employer pour se manifester, que tous ces muets d'indignation avaient intériorisé jusqu'à l'absurde la crainte de passer pour « racistes ». Voilà toute la belle réussite des « nantis » à qui appartiennent la presse et les médias…

Je commençais à m'agiter sur mon convertible bon marché. Et voici maintenant que l'ancien ambassadeur m'invitait à m'indigner à propos de l'éducation. On touchait là, si j'ose dire, à la matrice de toutes les indignations.

Mais là encore, ce que l'auteur s'empressait de mettre en accusation, c'était je ne sais quelle énième mesure de l'Éducation nationale, prise en 2008. C'était là, pour lui, une atteinte inédite au projet éducatif voulu pour « tous les enfants français » par les rédacteurs du C.N.R. Il ne disait pas en quoi consistait cette mesure (et, à vrai dire, je ne l'ai pas appris) mais elle était néfaste. En somme, il avait fallu attendre 2008 pour s'indigner des conditions d'enseignement en France ! J'y croyais pas !

Ma scolarité s'est terminée avec le passage du bac, vers la fin des années quatre-vingt-dix. Comme ceux qui en étaient au même point, je pouvais continuer mes études à l'université ou tenter ma chance dans la vie active, ce que j'ai préféré. Mais de quelles connaissances sérieuses disposaient ceux de ma génération ? Nous avions été scolarisés selon les méthodes des gourous des I.U.F.M. D'après l'ancien ambassadeur, ce n'est pourtant pas eux qui méritaient mon indignation.

« Méthode globale » pour apprendre à lire et à écrire, « collège unique », « mise de l'élève au centre de l'apprentissage », « individualisation », « spontanéisme », soupçon d'autoritarisme prêté aux professeurs, glorification des cancres par acteurs du show-business interposés, suppression des repères chronologiques, insupportable jargon dans l'étude de la littérature française, culte de la calculette et des filières scientifiques, garderie généralisée, la liste n'est pas complète. Toutes ces lubies se sont imposées en l'espace d'une quarantaine d'années, avec pour résultat imprévu et concret de restaurer ce fameux élitisme qu'on croyait combattre.

À l'opposé des ambitions du C.N.R., l'école de la République ne permet plus depuis longtemps de sortir de sa classe sociale d'origine. C'était encore le cas jusque dans les années soixante, avant que des pédagogues peut-être bien intentionnés mais obnubilés par leur idéologie ne parviennent à imposer leurs méthodes abstraites, irréelles, indignes de l'intelligence et du respect des enfants. Et aucune réalité visible du caractère néfaste de ces méthodes n'a été capable de les faire revenir à la raison.

Plus tard, c'est-à-dire aujourd'hui, il est venu s'ajouter à tous ces délires de pédagogues, comme la trop fameuse « cerise sur le gâteau », la pure et simple situation d'avoir à accueillir dans les classes des enfants qui ne maîtrisent pas la langue française. Au lieu de la leur apprendre, il y a des hommes politiques assez barjots pour estimer que ce qui manque, c'est l'enseignement de l'arabe au primaire ! D'autres imaginent qu'on devrait leur enseigner l'histoire du pays d'origine de leurs parents ou grands-parents africains, c'est-à-dire bien leur fourrer dans le crâne que leurs ancêtres ont été réduits en esclavage par les ancêtres de ceux-là mêmes qui prétendent leur faire la classe ! J'y crois pas ! Et que dire des « sujets » délicats à aborder, de plus en plus nombreux, qui pourraient heurter la conception du monde de certains élèves et que les professeurs contournent avec gêne. *Basta !* Indignez-vous des mesures de 2008.

On se souvient de ce livre devenu film, *Entre les murs*, tellement combattu par les médias et la presse aux mains des « nantis » qu'il a obtenu la palme d'or à Cannes et que son auteur et sa classe ont été promenés pendant des semaines dans tous les médias comme l'exemple à suivre. Quel détournement d'indignation ! Car combien de lecteurs ou de spectateurs sont sortis indignés par ce qu'ils avaient lu ou vu ? Combien, comme moi, ont d'abord cru naïvement qu'il s'agissait d'un livre ou d'un film destinés à faire prendre conscience d'une situation aberrante ? Eh bien non ! C'était le fin du fin de « l'instruction la plus développée », projetée par les hommes de 1944. Ah ! s'ils avaient vu ce film, ces combattants de la France libre, avec à leur tête ce fin lettré entre tous qu'était Jean Moulin !

Moi, j'ai eu la chance d'aimer lire et de rencontrer des gens cultivés qui ont encouragé ce goût, des gens, je tiens à le préciser, qui survivaient à la marge, qui n'étaient *rien*, socialement parlant. J'ai alterné les « petits boulots » et les périodes d'allocations chômage. Je me suis remboursé de ce que l'école n'avait pas offert à l'enfant de milieu modeste que j'étais et c'est à partir du moment où je suis sorti de la scolarité que j'ai commencé à apprendre quelque chose, à découvrir la civilisation française dans toute sa vraie diversité. L'Éducation nationale avait comme fait exprès de l'envelopper dans un brouillard confus, sans amour ni fierté. Et je ne crains pas d'affirmer que ceux de mon âge qui ont une bonne culture générale, des passions intellectuelles, le goût de la réflexion, l'esprit critique et, par-dessus tout, la curiosité qui rend la vie vivable, le doivent à leur milieu social, à eux-mêmes, aux circonstances, à tout ce que l'on voudra, mais certainement pas aux méthodes de l'Éducation nationale. C'est plutôt *malgré* elles qu'ils ont pu engranger un peu de savoir ou grâce aux professeurs qui ont essayé de ne pas les appliquer à la lettre. Pas plus que les nouveaux venus, en tant que personnes humaines, les professeurs ne m'indignent, mais le système de pensée et d'action auquel ils ont dû se soumettre depuis tant d'années, celui-là, oui, méritait mon indignation, à ce moment de ma lecture.

Tout compte fait, je suivais à la lettre la consigne du titre : je m'indignais ! D'autant mieux que je venais de tomber sur une phrase avec laquelle, cette fois, j'étais entièrement d'accord : « Je vous souhaite à tous, à chacun d'entre vous, d'avoir votre motif d'indignation. »

Ce souhait s'exprimait soudain, un peu tombé de la lune, après un argument qui m'avait paru bien pauvre, basé sur une comparaison on ne peut plus douteuse entre la France de 1948 et celle de 2011, du point de vue de la richesse : la France de 1948, aux pauvres ressources, n'en avait pas moins financé un généreux système social. La France de 2011, infiniment plus riche, prétendait ne pas pouvoir y parvenir. Voilà.

C'était oublier un peu vite que, si la France de 1948 était en effet en piteux état, le « plan Marshall » l'aidait grandement à se relever (même si c'était *aussi* dans l'intérêt des Américains). De plus, à cette époque, tout n'était pas rose mais tout était à reconstruire. On pouvait croire en l'avenir. La population homogène et bien moins nombreuse savait qu'elle allait vers des jours meilleurs ce qui, d'ailleurs, s'est produit. Le chômage n'existait pas. Quelle plus grande richesse pour un pays ?

Inversement, la France de 2011 est emportée par un capitalisme devenu fou, ce que je n'ai pas l'intention de nier, elle est assommée par sa dette publique et doit faire face à un accroissement considérable de sa population, qui plus est disparate et en mauvais termes avec elle-même. Elle est rongée par le chômage. En voilà une richesse !

On peut s'indigner, et on aura cent fois raison, que les riches soient de plus en plus riches et les pauvres de plus en plus pauvres. Mais cette situation inacceptable n'est pas le seul résultat de l'avidité sans bornes des uns et de l'asservissement des autres. C'est un peu plus compliqué que cela. Par exemple, pas un mot, dans *Indignez-vous !*, sur la mutation technique de notre époque, unique en son genre. Que serait la recherche du profit sans les prouesses que nous offrent les machines ? À lire la brochure, tout se passe comme s'il suffisait de rétablir l'ordre dans le monde de la finance, pour que tout un chacun aille vaquer à ses occupations salariales. Le chômage aurait disparu comme par enchantement et tout irait pour le mieux dans le meilleur des mondes. J'y crois pas ! Est-ce que nous n'avons pas à affronter des bouleversements dignes de la science-fiction et qui rendent ces raisonnements aussi obsolètes qu'une chaîne de montage de 2CV en 1960 ?

Bien sûr, la question d'une meilleure redistribution des richesses se pose impérativement. On peut, on doit faire mieux. Mais, d'un autre côté, tout comme la question des mouvements migratoires, elle empêche de réfléchir pour de bon à une question existentielle inouïe qui se pose à nous : la question de la relation de l'homme au travail. Ce qui m'indigne alors, c'est ce refus général, toutes tendances politiques confondues, de reconnaître que le travail humain est mis en concurrence avec les machines et qu'il serait grand temps de réfléchir à en tirer les conséquences. Ce qui m'indigne, c'est cette chimère du « plein-emploi », entretenue élections après élections par les divers partis politiques. Ce qui m'indigne, c'est tout ce « faux-travail » que rien de réel ne justifie, si ce n'est l'obligation morale de combattre l'oisiveté. Ce qui m'indigne, c'est qu'au nom de la sacro-sainte

« création d'emplois », on soit prêt à absolument tout. Rien n'y résiste, ni le paysage, ni les modes de vie, ni la santé, ni l'amour. Je parle là d'une indignation toute personnelle, d'une conviction. Je ne prétends pas qu'elle puisse s'imposer avec autant d'évidence et à un aussi grand nombre de gens que celles que j'ai citées tout à l'heure. Mais puisqu'on me « souhaitait » un motif d'indignation personnel, une sorte de « spéciale dédicace »…

Jusque-là, tout en n'étant pas convaincu par ses propos, j'avais assez bien suivi le cheminement de la pensée de l'auteur. J'entrais à présent dans un nouveau paragraphe. Je comprenais d'où venait précisément le sentiment de « longueur » assez pesante qui m'était resté de ma première lecture. Et d'ailleurs, ce sentiment ne devait plus me quitter jusqu'à la fin.

Avec le sous-titre « Deux versions de l'histoire », commençait un texte qui me paraissait franchement décousu, basculant d'une notion à l'autre sans grande clarté et me paraissant mettre beaucoup de complications inutiles pour dire cette banalité qu'il y avait une version optimiste et une version pessimiste de l'histoire. Bon.

Tout de même, je retenais ce passage : « Pour nous, résister, c'était ne pas accepter l'occupation allemande, la défaite. C'était relativement simple. Simple comme ce qui a suivi, la décolonisation. Puis la guerre d'Algérie. » Après bon nombre de digressions, je retrouvais le fil de cette idée dans ces mots : « C'est vrai, les raisons de s'indigner peuvent paraître aujourd'hui moins nettes ou le monde trop complexe. »

Cela me paraissait juste, mais peut-être pas pour les mêmes raisons que l'auteur.

En effet, il était très simple pour les Français de 1940 de comprendre ce qui se passait. Une armée étrangère occupait le pays, défilait dans ses rues, parlait une langue étrangère, imposait de nouvelles règles, hissait son drapeau sur les bâtiments publics. Il s'agissait de soldats, habillés en soldats, avec des grades militaires et tout le *barda*. Résistant, collabo, trafiquant du marché noir ou quidam qui rasait les murs, personne ne pouvait faire semblant de ne pas voir que c'était l'Occupation. Et alors, oui, c'était relativement simple, non pas de s'engager ni même de choisir son camp, mais de savoir sans l'ombre d'un doute qu'il y avait des Allemands d'un côté et des Français de l'autre.

S'ils me lisent, je parie qu'il y en a qui se disent qu'ils me voient venir : « Et voilà ! Encore un salaud de fasciste qui va comparer les étrangers à une armée d'occupation ! » et qui vont s'indigner, et qui vont proclamer : « Stéphane Hessel avait bien raison quand il écrivait : "le nazisme est vaincu, grâce au sacrifice de nos frères et sœurs de la Résistance et des Nations unies contre la barbarie fasciste. Mais cette menace n'a pas totalement disparu", la preuve : écoutez ce salaud ! »

Eh non ! mon couillon ! Alors moi, quidam de 31 ans, ayant grandi dans l'évidente et tout à fait juste horreur du racisme et du nazisme, m'étant ouvert aussi bien que mes compatriotes au *sex-appeal* de l'exotisme, qui ai accepté bien volontiers de retrouver dans le reggae la bonhomie de la bourrée auvergnate, qui ne crache pas sur un pétard ni un couscous, qui s'est moqué comme il se doit des

« imbéciles heureux qui sont nés quelque part », des franchouillards, des beaufs, moi, dis-je, je sortirais du « ventre fécond de la bête immonde » ! Tout ça parce que je la trouve un peu mauvaise que des rues entières, les trottoirs de mon pays, ceux de ses plus grandes villes, me soient hebdomadairement interdits, barrés, bouclés par un service d'ordre en barbes, parce que des gens ont décidé d'occuper l'espace public pour prier ? Des gens qui, si j'ai bien compris, me considèrent comme impur, moi, le quidam du coin, vu que je mange des choses qu'ils trouvent dégoûtantes et que je bois du vin ? Que je ne pousse pas les femmes à se camoufler et cherche au contraire à leur plaire ? Que je laisse chacun faire ce qu'il veut de son cul ? Tu parles d'un « facho » ! Tout juste promis à raser les murs en acceptant la « protection » des vrais fidèles et à condition de très bien tenir sa langue, de choisir ses mots très prudemment et de marcher sur des œufs en permanence sinon, gare à lui ! Je suis indigné.

Je suis indigné et estomaqué que des humanistes se montrent si complaisants envers les exigences de plus en plus pressantes d'une partie de la population, si bien que le reste de la population historique ne sait pas comment faire, c'est plutôt là que je voulais en venir. Elle ne sait pas quoi faire avec une présence récente qui n'est pas ouvertement militaire, mais pas non plus impeccablement pacifique. Et justement, c'est bien parce qu'elle ne peut pas comparer vraiment cette situation à l'Occupation de 1940 que la population, qui n'est pas idiote, ne se permet pas cette exagération, qu'elle est paralysée devant toutes ces exigences.

Et ce ne sont pas, comme le rabâchent les soi-disant « progressistes », des exigences de justice sociale, non, ce sont des exigences de coutumes, de mœurs, des exigences culturelles. De quelle exigence sociale procède le besoin d'édifier des mosquées à travers tout le pays ? De quelle exigence sociale procède le port du voile pour les femmes ? De quelle exigence sociale le respect exigé de tabous alimentaires qui n'ont jamais eu cours en France ? De quelle exigence sociale le refus du contact des médecins ? De quelle exigence sociale la reconnaissance de la polygamie ? De quelle exigence sociale procèdent toutes ces demandes pressantes, transportées en France, qui feraient se retourner dans leur tombe Rabelais, Villon, Cyrano, Voltaire, Rousseau, Hugo, Balzac, Flaubert, Stendhal, Baudelaire, Rimbaud, Verlaine, Péguy, Alain-Fournier, Cocteau, Bernanos, Proust, pour ne s'en tenir qu'à quelques écrivains, mais aussi la marquise de Sévigné, Ninon de Lenclos, Louise Michel, Colette, Marguerite Yourcenar, Jacqueline de Romilly et même Madame de La Fayette qu'il a suffi que le président de la République traite par-dessus la jambe, en bon soixante-huitard qui s'ignore, pour que les mêmes enseignants qui s'en foutaient pas mal depuis des lustres se mettent à organiser des lectures publiques de *La Princesse de Clèves* en guise, sans doute, d'acte de « résistance ». MDR.

Alors oui, je suis indigné de m'attirer le qualificatif de « fasciste » simplement parce que, comme tout le monde, je vois les signes inquiétants d'une volonté agissante de modifier le pays où mes ancêtres sont venus s'établir il n'y a pas si longtemps, par amour du mode de vie français et, précisément, pour fuir le fascisme. Ils ont eu la chance de pouvoir s'acculturer, je dis bien : la chance. Comment prétendre changer de pays, de continent, faire souche ailleurs, sans accepter un minimum d'acculturation ? C'est cette acculturation qu'il faut rendre enviable, désirable, et non pas montrer comme une « perte », une souffrance, ce qui est absurde. Il y en a beaucoup plus qu'on ne le croit, de ces ressortissants de pays étrangers qui souffrent de la double pression des beaux parleurs du cru et de celle de certains de leurs compatriotes qui, chacune à leur façon, les empêchent de se fondre sincèrement dans leur nouveau pays, les renvoient sans cesse dans leurs cordes identitaires. Avec ceux qui se libèrent de ces chaînes, il n'y a aucun début de commencement de « problème ». C'est à eux qu'il faut penser et c'est eux qui doivent être encouragés.

Et je trouve criminel de la part de certains Français de ne pas s'inquiéter, de refuser obstinément de voir la réalité. Et enfin, je trouve infiniment triste qu'ils parviennent à embarquer dans leur entreprise d'effacement d'un peuple au moyen de la falsification de la réalité un ancien combattant de la France libre qui s'est précisément battu pour la liberté de ce peuple. Oui, c'est très triste et très indigne. Honte à ceux-là qui s'indignent à mauvais escient !

Je ne ferai pas une aussi longue parenthèse que dans *Indignez-vous !* sur le conflit israélo-palestinien. Je ne suis pas aussi sûr de moi pour me prononcer avec aussi peu de nuances sur un conflit des plus complexes et qui secoue la planète depuis Mathusalem. Il est vrai que je ne suis pas ambassadeur. Qu'on me permette simplement d'observer, précisément, qu'il est pour le moins étrange, de la part d'un ancien ambassadeur de la République française – homme réputé pour user de nuances – de n'avoir, pour toute indignation à signaler, au moment d'élargir son propos à des questions internationales et après avoir parlé d'universalité, de n'avoir, dis-je, qu'Israël à condamner

27

au nom des droits de l'Homme, dans le vaste panorama du monde. De ne pas trouver un seul mot d'indignation universelle, par un bref passage en revue international, pour aucun autre pays. Asie ? R.A.S. Moyen-Orient ? *Labès chouia.* Afrique ? Où est le problème ? Amérique du Sud ? *Nada.* Israël ? *Gross Malheur !*

J'avoue que je peinais. Comment un si mince ouvrage menaçait-il de me tomber des mains comme un gros volume d'une collection de romans sentimentaux ? C'est peut-être qu'il se terminait comme un roman à l'eau de rose, avec une devise à graver dans un cœur sur l'écorce d'un arbre :

« CRÉER, C'EST RÉSISTER.
RÉSISTER, C'EST CRÉER. »

(roman sentimental bizarrement mal tourné cependant, où la « compréhension » du terrorisme copinait avec l'appel à la non-violence).

Trêve de plaisanteries.

Aujourd'hui, que l'on soit dans une optique nationale ou européenne, républicain à cheval sur les principes de l'intervention de l'État ou plus libéral, que l'on se sente de racines chrétiennes ou païen endurci, que l'on soit sensible à un patriotisme pur et dur ou que l'on se donne des racines plus étendues, que l'on soit attaché à la France par la « gauche » ou la « droite », par « frilosité » conservatrice ou enthousiasme progressiste, que l'on soit humaniste de tradition ou que l'on pense qu'il faille désormais dépasser cette conception, que l'on fasse commencer l'histoire de France à la Révolution ou bien avant, quelles que soient toutes ces vraies diversités du monde français, il y a aujourd'hui pour tous un grand danger de voir la maîtrise politique de notre destin nous échapper définitivement, noyé dans le « pareil au même » de toutes les brochures.

Contrairement aux consignes rabâchées d'*Indignez-vous !*, il est urgent de restaurer un espace politique possible, débarrassé des dangereuses jérémiades d'une caste, un espace qui rende possible à nouveau la dimension politique de l'existence commune.

Pour que vive la démocratie politique il lui faut un cadre bien dessiné, cohérent, parce que le « ton » de la France, c'est la clarté et la cohérence, pas le fatras idéologique et la langue trafiquée, comme dans le roman d'anticipation *1984* où les mots veulent dire le contraire de ce qu'ils disent.

Chaque peuple a le droit de suivre son destin, son ambiance, ses coutumes, sur son territoire et telles que les ont sculptés patiemment les siècles. Chaque peuple a le droit de résister à l'effacement de l'ambiance qu'il s'est choisie et pour laquelle il a écrit très lentement un contrat social pour tous ses membres. Et si certains qui composent ce peuple, n'importe lesquels, veulent brutalement déchirer le contrat, ou y introduire des règles clairement incompatibles avec l'ambiance générale, qu'ils soient poussés par une logique ethnique, religieuse, techno-cratique, oligarchique ou aveuglés par leur idéologie, c'est alors qu'il faut s'indigner et leur résister.

Et puisque l'heure est aux points d'exclamation de l'impératif, je me permettrai de dire qu'il est impératif de retrouver notre souveraineté politique, de réaffirmer nos valeurs sans compromissions. Ce ne sont pas ces vieilleries du style « la France aimez-la ou quittez-la » ni les dangereuses niaiseries du « multiculturalisme », mais tout simplement l'acceptation et l'amour de nos valeurs, de notre culture, le désir de chercher à les faire évoluer, à les améliorer, et pas du tout l'ambition de les nier. Et cela ne peut se faire, pour commencer, que dans un cadre national. Et si cela doit être ensuite un mouvement européen, tant mieux. Il y a de la place pour tout le monde dans ce cadre, dans cette ambiance bien dessinée, et tout spécialement de la place pour les nouveaux venus, à condition qu'ils comprennent notre point de vue, l'adoptent sans restrictions parce que c'est un point de vue absolument légitime et très simple à comprendre.

Restaient les notes en fin de livret. Je les ai lues, consciencieusement. Et puis, je suis allé me coucher avec un bon livre, discutable par certains côtés, remarquable par d'autres : *La Force des choses*, de Simone de Beauvoir. Il est possible que l'on aime les personnalités de caractère, à 31 ans.

Abécédaire de l'In-nocence
(Éd. David Reinharc)

Fondé par Renaud Camus en 2002, le parti de l'In-nocence s'organise autour des valeurs de civisme, de civilité, de civilisation, d'urbanité, de respect de la parole et d'*in-nocence*, c'est-à-dire de *non-nocence*, d'aspiration à la réduction des nuisances.

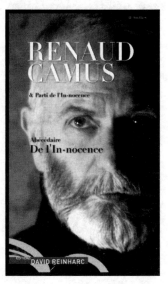

Fondateur, pour Renaud Camus, le concept d'*in-nocence* lui paraît de nature à faire la liaison entre trois domaines qu'on aurait tout intérêt selon lui à envisager ensemble, à savoir le politique, l'écologique, et un troisième plus vaste et plus flou, ce qui concerne les mœurs, les manières, les comportements de la vie quotidienne.

Il s'en explique dans son introduction à cette anthologie. Sont regroupés entre ces pages, par ordre alphabétique, les différents chapitres du programme du parti de l'In-nocence, nombre des communiqués publiés par lui depuis 2002, une sélection d'interventions d'internautes sur le site du parti (www.in-nocence.org), et des extraits inédits des éditoriaux de Renaud Camus, certains ayant déjà été publiés d'autre part : *La Dictature de la petite bourgeoisie* (Privat), *Le Communisme du XXIe siècle* (Xenia), *La Grande Déculturation* (Fayard).

Les thèmes les plus présents, outre *nocence* et *in-nocence*, concernent l'éducation, l'école, la culture, la civilisation et son éventuelle substitution à l'occasion de ce que le parti appelle *le Grand Remplacement*, le changement de peuple, à l'en croire le phénomène le plus important de la situation actuelle, sinon de toute l'histoire de notre pays.

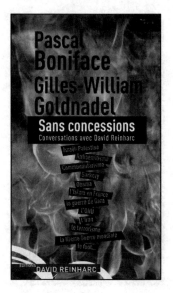

Sans Concessions
Conversations avec David Reinharc

par Pascal Boniface,
Gilles-William Goldnadel

Collection « Mise au poing »
Novembre 2010

Mots de Tête

par Josy Eisenberg

Collection « Humour »
Février 2011

DU MÊME ÉDITEUR

Lettres de quelques Juifs à M. de Voltaire
Préface de Jack Lang

Collection « Histoire avec sa grande hache » (2011)

Chine.
Mémoire en flammes
(Collectif)

Collection « Histoire avec sa grande hache » (2009)

L'État de trop
par Fabien Ghez

Collection « Mise au poing » (2010)

Retourne en Palestine !
par Samuel Nili

Collection « Mise au poing » (2011)

Les trois vies d'Abraham B.
Histoires insolites d'un médecin parisien
par Paul Benaïm

Collection « La vie, mode d'emploi » (2010)

Retrouvez tout notre catalogue sur
www.editionsdavidreinharc.fr

Maquette, mise en page : Parti de l'In-nocence

www.in-nocence.org

Imprimé en France - JOUVE, 1, rue du Docteur Sauvé, 53100 MAYENNE
N° 639326U - Dépôt légal : février 2011